Para João Victor e Gabriela.

Texto adequado às regras do novo Acordo Ortográfico da Língua Portuguesa

Coordenação editorial: Miriam Gabbai
Revisão: Nelson de Oliveira
Escaneamento e tratamento das imagens: Márcio Uva
Diagramação: Carlos Magno

2ª edição, 2009
2ª reimpressão, 2019

CIP-BRASIL. CATALOGAÇÃO-NA-FONTE
SINDICATO NACIONAL DOS EDITORES DE LIVROS, RJ

D61c
2.ed.

Diniz, Edinha, 1949 - Cartola / Edinha Diniz ; ilustrações de Angelo Bonito. - 2.ed. - São Paulo : Callis Ed., 2009.

il. - (Crianças famosas)

ISBN 978-85-7416-397-0

1. Cartola, 1908-1980 - Infância e juventude - Literatura infantojuvenil. I. Bonito, Angelo, 1962-. II. Título. III. Série.

09-2955. CDD: 028.5
CDU: 087.5
19.06.09 24.06.09 013346

Índices para catálogo sistemático
1. Literatura infantil 028.5
2. Músicos: Literatura infantil e juvenil 028.5

ISBN: 978-85-7416-397-0

O **Centro Cultural Cartola** acredita na força da cultura brasileira, na vontade de crescer de nosso povo e na efetiva possibilidade da inclusão social. Dedica-se, assim, a mais nobre das missões: transformar em realidade um ideal.

Centro Cultural Cartola
R. Visconde de Niterói, 1364 • Rio de Janeiro • RJ
Tel.: (21) 3234-9013 • www.cartola.org.br

Impresso no Brasil

2019
Callis Editora Ltda.
Rua Oscar Freire, 379, 6º andar • 01426-001 • São Paulo • SP
Tel.: (11) 3068-5600 • Fax: (11) 3088-3133
www.callis.com.br • vendas@callis.com.br

Crianças Famosas

Cartola

Edinha Diniz e Angelo Bonito

callis

Faltava ainda um mês para o Natal, mas Angenor tinha pressa em ver o presépio pronto para ganhar a aposta de um jogo completo de botão que fizera com o amigo Edgar.

Naquela noite de 1915, toda a família Oliveira se ocupou em armar o presépio: dona Aída desempacotava as figuras, o senhor Sebastião finalizava as peças de carpintaria que fizera em sua oficina, enquanto Angenor, compenetrado de líder nos seus sete anos de idade, distribuía tarefas entre seus quatro irmãos.

Biela e o caçula, Luís, corriam pela sala e quase esbarraram na figura de gesso do São José. Dona Aída acorreu logo em socorro do santo carpinteiro, de quem o marido era devoto. O incidente foi deixado de lado porque nesse momento as irmãs mais velhas, Isaura e Lucília, acabavam de desembrulhar os mantos que haviam costurado e bordado para vestir os Reis Magos.

— Oooohhhhhhhh!!! — disseram todos, maravilhados com a beleza e o luxo das roupas.

A riqueza dos mantos faria crescer ainda mais a fama de festeira da família Oliveira entre os vizinhos do Catete, no Rio de Janeiro. E olhe que não era fácil impressionar o bairro onde ficava o palácio do presidente da República!

Angenor indagou aos irmãos, ainda encantado com a cena:

— Vocês sabiam que os Reis Magos não eram reis?

— Como assim? — As crianças responderam quase em uníssono, cheias de curiosidade.

— Vovô me contou que lá no Oriente, de onde vinham, Gaspar, Belchior e Baltazar, não eram reis, mas senhores dos reis. Eram eles que aconselhavam os reis — revelou Angenor.

— Ouvi falar que eram sábios — lembrou-se Lucília, também ouvinte assídua das histórias do avô.

— O que me impressiona mesmo — confessou Angenor, pensativo — é ver reis tão ricos ajoelhados diante de um menino pobre na manjedoura.

Foi dona Aída quem arrematou a conversa:

— Mas eles sabiam que estavam diante de um verdadeiro Rei.

Angenor não entendeu essa história de pobre que é rei, de rei que não é de verdade... Apenas pensou: "Tudo trocado!". Passou os dias seguintes intrigado com esse mistério.

Uma vez armado o presépio, era tempo de ajudar o avô a preparar as Pastorinhas.

Vovô Luís Cipriano era o maior folião da família. O neto que ganhasse sua preferência ganhava também destaque nas Folias de Reis que organizava. Ele não sabia explicar como começara essa tradição das Pastorinhas. Sabia contar apenas que os pastores foram os primeiros adoradores do Deus Menino, antes dos Magos, e era preciso relembrar todo ano esse fato extraordinário.

Chega, afinal, a véspera de Reis. No começo da noite, as Pastorinhas já se concentram na casa de Luís Cipriano para iniciar o desfile. As alas se organizam: crianças na frente, adultos atrás. As meninas, vestidas de Pastorinhas, formam o grande e afinado coral, do qual Angenor também faz parte.

À frente, a bandeira e os três Reis Magos, seguidos dos músicos: violão, cavaquinho, pandeiro, flauta, pistão, clarineta. De repente, o apito dá a partida. As Pastorinhas puxam um vivório, em meio a palmas e bravos:

Viva os três reis do Oriente!

Viva!

Viva a estrela-guia!

Viva!

Viva toda a companhia!

Viva!

Viva a bonita união!

Viva!

Viva todo folião!

Viva!

O grupo caminha em direção à Lapinha para adorar o Menino Deus, em festa. Em frente ao presépio, faz a saudação em coro:

> Deus vos salve, casa santa,
> Em que Deus fez a morada,
> Onde existe o cálice bento
> E a hóstia consagrada.

Novo silvo de apito anuncia a partida. Pelas ruas do bairro, cantando e dançando, as Pastorinhas prosseguem as visitas. Vão de porta em porta, param e cantam loas ao Menino Jesus e louvores aos moradores. A alegria toma conta das ruas.

É hora do pau de fita. As crianças fazem um baile de roda em volta dos mastros floridos. Todos giram em torno do pequeno poste, segurando a ponta de uma tira de pano colorido, enquanto cantam e dançam. A algazarra é geral.

Chegam agora à casa onde se dará a função e, depois de cantar e dançar mais uma vez, guardam os instrumentos, apagam as lanternas e ceiam com frutas e doces. Nessa noite, Angenor não dorme, mas está feliz.

Um ano depois, sua família se muda para a vila de operários da fábrica de tecidos Aliança, em Laranjeiras. Angenor tem agora oito anos. Aprendeu com seu avô a caprichar na vestimenta e gaba-se de ser um dos meninos mais bem vestidos do bairro.

Mas quer mesmo é estrear uma fantasia de Carnaval. Vovô Cipriano prometeu-lhe que sairá no Arrepiados, o rancho carnavalesco que divide com a União da Aliança a preferência do pessoal da fábrica.

Sempre que pode, Angenor pega o cavaquinho do pai às escondidas e treina. Encantado com a música, observa os músicos *feras* tocar e sonha com o dia em que também fará parte da banda.

Chega o Carnaval e toda a sua família sai no rancho Arrepiados. Seu Sebastião vem na frente com o conjunto, tocando cavaquinho. Como Angenor tem boa voz, foi escolhido para a Ala de Satanás, fantasiado de diabinho. É uma ala importante no enredo. Zilda, costureira de categoria, caprichou na fantasia para a estreia de Angenor no rancho.

Nesse ano, o Arrepiados vem para ganhar. Que diferença da Folia de Reis!

Quer dizer, lembra o pastoril natalino, mas é muito mais rico e animado: cortejo, orquestra, coro, ritmo, melodias, tudo é mais empolgante. Instrumentos e vozes enchem o ar de música.

Vovô Cipriano, que entendia de festas, dizia que o rancho era *filho* da Folia de Reis. Angenor não compreendia bem isso. Como podia ser, se as Pastorinhas celebravam o Menino Jesus e o Carnaval falava em Belzebu no enredo? Angenor não entendia, como também não entendia aquela história de rei rico se ajoelhar diante de rei pobre. Nunca entendeu direito, mas festejou tudo.

Lá vem o rancho Arrepiados! Que luxo, que elegância! Angenor admira particularmente a fantasia de Camarão. Isso é que é roupa de rei. Leque na mão, lá vem Camarão, conduzindo a porta-estandarte e protegendo a bandeira do rancho dos rivais, com evoluções desafiadoras e elegantes! Capoeira e minueto. Deslumbrante!

Foi Edgard quem lhe contou que Camarão não era nome, era apelido, porque o mestre-sala era muito corado, vermelhão.

Pelas ruas o desfile prossegue. O Arrepiados defende suas cores, verde e rosa, dos ranchos rivais, exibe-se e é aplaudido pelos destaques que apresenta. Aquele mar de verde e rosa atravessa as ruas recebendo do público chuvas de flores, confetes e serpentinas. O desfile se espraia pela rua como a onda que Angenor viu na praia. Mas, diferente do mar, o rancho espalha um colorido na avenida e é um colorido de sonho: verde e rosa.

Angenor sente-se esmagado pela beleza de sons, luzes e cores dos ranchos. São muitos: Arrepiados, União da Aliança, Ameno Resedá, Mimosas Cravinas, Flor do Abacate, Camélia, Iaiá me Deixe, Papoula do Japão...

É beleza demais aos olhos do menino desprevenido. Por todos os lados só vê alegria, esplendor e deslumbramento.

A melodia penetrante parece não abandoná-lo mais. Vovô Cipriano chama isso de *memória*. O fato é que Angenor jamais esqueceu o assombro de beleza da sua infância.

Aos onze anos, mudou-se para o morro da Mangueira. A morte do avô significou empobrecimento para a família, que foi morar na favela. Angenor começou a trabalhar, primeiro de tipógrafo, depois de pedreiro. Pendurado em andaimes, passou a usar um chapéu para proteger a cabeça do cimento. O apelido surgiu ali e ficou para sempre: Cartola.

No morro, Cartola só encontrou batucada. Sentiu falta da harmonia dos ranchos. Como já não sabia viver sem a beleza que conhecera na infância, ajudou a criar a Escola de Samba Estação Primeira de Mangueira. Deu-lhe o nome, já que o Morro da Mangueira era a primeira estação de trem depois da Central do Brasil. Deu-lhe as cores verde e rosa do Arrepiados e dedicou-se a ela até consagrá-la como campeã de beleza e empolgação no coração dos foliões.

O menino Angenor de Oliveira tornou-se o grande compositor popular Cartola, autor de canções como "As rosas não falam" — inspirado em sua companheira Dona Zica —, "O mundo é um moinho", "Divina dama", "Acontece", "Sala de recepção", "Autonomia" e muitas outras. No ano de 2001, foi criado no Rio de Janeiro, o Centro Cultural Cartola, em sua memória.

As rosas não falam

Bate outra vez

Com esperanças o meu coração

Pois já vai terminando o verão, enfim.

Volto ao jardim

Com a certeza que devo chorar

Pois bem sei que não queres voltar

Para mim.

Queixo-me às rosas,

Mas que bobagem, as rosas não falam

Simplesmente as rosas exalam

O perfume que roubam de ti, ai...

Devias vir, para ver os meus olhos tristonhos

E quem sabe sonhavas meus sonhos, por fim.